MIXTE
Papier issu de
sources responsables
FSC® C022030

© 1997 Éditions NATHAN (Paris, France), pour la première édition
© 2014 Éditions NATHAN, SEJER, 25 avenue Pierre de Coubertin, 75013 Paris, pour la présente édition
Loi n°49-956 du 16 juillet 1949 sur les publications destinées à la jeunesse,
modifiée par la loi n°2011-525 du 17 mai 2011.
ISBN : 978-2-09-255234-6
N° éditeur : 10199699 – Dépôt légal : avril 2014
Achevé d'imprimer en mars 2014 par Pollina (85400 Luçon, France) - L67659B

D'après un conte traditionnel
Illustré par Agnès Mathieu

Les Trois Petits Cochons

Nathan

Il était une fois trois petits cochons qui s'en allèrent chercher fortune de par le monde.

Le premier rencontra un homme qui portait une botte de paille, et il lui dit :

– S'il vous plaît, vendez-moi cette paille pour me bâtir une maison.

L'homme lui vendit la paille, et le petit cochon se bâtit une maison.

Le deuxième petit cochon rencontra un homme qui portait un fagot de bois, et il lui dit :

– S'il vous plaît, vendez-moi ces bouts de bois pour me bâtir une maison.

L'homme lui vendit les bouts de bois et le petit cochon bâtit sa maison.

Le troisième petit cochon rencontra un homme qui portait des briques, et il lui dit:

– S'il vous plaît, vendez-moi ces briques pour me bâtir une maison.

L'homme lui vendit les briques et le petit cochon bâtit sa maison.

Bientôt, le loup arriva chez le premier petit cochon, et, frappant à la porte, il s'écria :

— Petit cochonnet, petit cochonnet, laisse-moi entrer.

Mais le cochonnet répondit :

— Non, non, par la barbiche de mon petit menton, tu n'entreras pas !

Alors le loup répliqua :

– Eh bien, je soufflerai, et je gronderai, et ta maison s'envolera !

Et il souffla, et il gronda, et la maison de paille s'envola.

Alors le petit cochon courut aussi vite qu'il put, et alla se réfugier dans la maison de bois.

Bientôt, le loup arriva chez le deuxième petit cochon, et il dit :

— Petit cochonnet, petit cochonnet, laisse-moi entrer.

— Non, non, par la barbiche de mon petit menton, tu n'entreras pas !

— Eh bien, je soufflerai, et je gronderai, et ta maison s'écroulera !

Et il souffla, et il gronda, et la maison de bois s'écroula.

Les deux petits cochons prirent leurs jambes à leur cou et, aussi vite qu'ils purent, ils filèrent jusqu'à la maison de brique.

De nouveau, le loup arriva, et dit :

– Petit cochonnet, petit cochonnet, laisse-moi entrer.

Mais le cochonnet répondit :

– Non, non, par la barbiche de mon petit menton, tu n'entreras pas !

Alors le loup répliqua :

– Eh bien, je soufflerai, et je gronderai, et ta maison s'effondrera !

De sorte qu'il souffla, et il gronda, et il souffla, et souffla encore, et il gronda, et gronda encore, mais la maison de brique ne bougea pas.

Alors le loup, très en colère, décida de descendre par la cheminée pour manger les trois petits cochons.

Mais ceux-ci se dépêchèrent de mettre une grande marmite d'eau sur le feu, et juste comme le loup descendait, ils soulevèrent le couvercle, et le loup tomba dans l'eau bouillante !

Les trois petits cochons remirent bien vite
le couvercle, et quand le loup fut cuit, ils le
mangèrent pour leur souper.

Regarde bien ces images de l'histoire.
Elles sont toutes mélangées.

Amuse-toi à les remettre dans l'ordre.